中国古董文化艺术收藏鉴赏

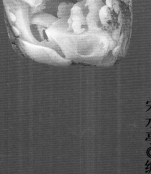

玉器

玉器精品鉴赏

宋水亭◎编著

纳财貔貅

内蒙古人民出版社

图书在版编目（CIP）数据

玉器收藏 / 宋水亭编著. —呼和浩特：内蒙古人民出版社，2009.11
（中国古董文化艺术收藏鉴赏）
ISBN 978-7-204-10202-0

Ⅰ.玉… Ⅱ.宋… Ⅲ.①玉器—鉴赏—中国 ②玉器—收藏—中国
Ⅳ.K876.84 G894

中国版本图书馆CIP数据核字（2009）第191904号

书　　名　中国古董文化艺术收藏鉴赏

编　　著　宋水亭
责任编辑　张惠钧·
出版发行　内蒙古人民出版社
地　　址　呼和浩特市新城区新华大街祥泰大厦
印　　刷　天津市光明印务有限公司
开　　本　787mm×1092mm 1/16
印　　张　100
字　　数　388千字
版　　次　2009年11月第1版
印　　次　2010年9月第2次印刷
书　　号　ISBN 978-7-204-10202-0
总定价　　680.00元（全拾册）

如发现印装质量问题，请与我社联系　联系电话：（0471）4971562　4971659

目　录

6

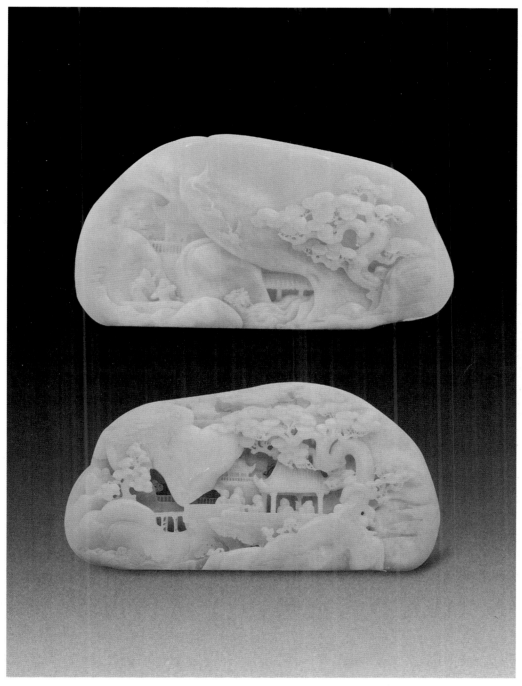

玉山子(乾隆工)　高 23cm 长 40cm 重 10 公斤　估价 440 万元

玉钗两件 尺寸不一 估价 8.9 万元

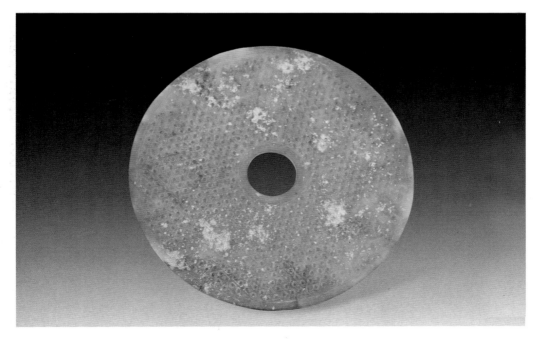

玉璧 直径 28cm 孔径 5cm 估价 180 万元–300 万元

10

螭兽面纹玉璜　20cm×9.6cm　估价 7.5 万元

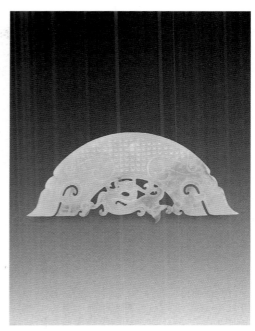

螭兽青白玉玉璜　21.5cm×9cm　估价7.8 万元

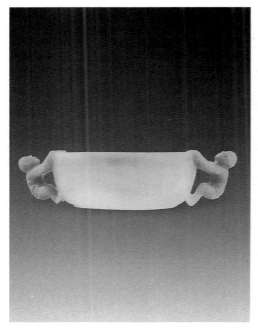

白玉水丞　直径 19cm　估价 10 万元–15 万元

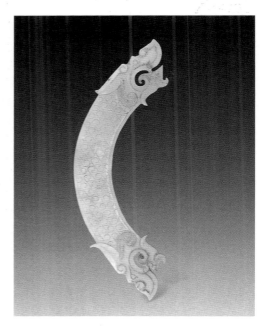

白玉璜　长 17.5cm　估价 32 万元

红山文化玉环　外径 4.9cm　估价 36 万元

玉贵人　高 18cm　估价 16 万元

和田玉籽料带皮　估价 30 万元

白玉儿　高 6cm　估价 1.3 万元

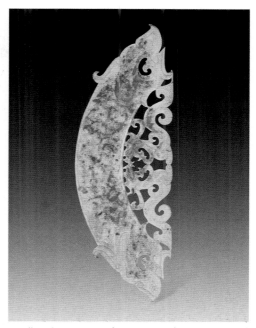

玉璜　　长 18cm 高 7.5cm　估价 5.6 万元

玉璜　　长 19.5cm 高 6.5cm　高 4.8 万元

玉璧　　直径 20.5cm　估价 4.7 万元

龙形玉璧　　长15.5cm宽9.5cm　估价 4.7 万元

白玉舞美人（四件） 高 15cm 宽 7.5cm 估价 97 万元

和田白玉福禄寿手把件　长 6.9cm 宽 4cm 估价 3 万元

玉人　高 7.4cm 直径 3.4cm　估价 5.2 万元

白玉瑞兽　长 13cm 高8.6cm　估价 47 万元

和田阿福雕件　径 2.4cm　估价 2200 元

玉鸟挂件　长 6.5cm　估价 7800 元

玉人　高 6.6cm　估价 4500 元

玉鹰　长 8cm 高 6cm　估价 7.6 万元

玉凤凰　高 12.2cm　估价 18 万元

玉扇　估价 4.7 万元

玉斧　高 13.7cm 宽 8cm　估价 9.5 万元

白玉镂空鼻烟壶　高 6.5cm　估价 5.6 万元

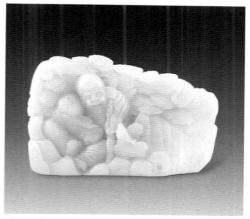

白玉鹤寿摆件　高 9.5cm 宽 16.5cm
估价 5800 元

黄玉童子持莲　高 7.5cm 宽 4.9cm　估价 7.7 万元

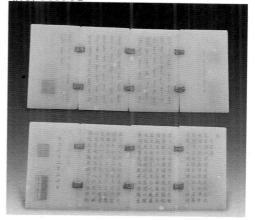

白玉圣旨　长 12.5cm 宽 7.5cm　估价 7.8 万元

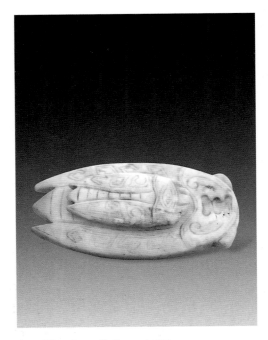

子母蝉玉佩　估价 7.6 万元

四凤玉璧　估价 28 万元

凤形出廓玉璧　估价 17 万元

螭兽炳古玉杯　8.5cm×6.2cm　估价9.4 万元

和田玉鼻烟壶　高 4cm　估价 800 元

瑞兽纹玉璧　直径 11.2cm　估价 2.7 万元

瑞兽玉璧　直径 16cm　估价 4.7 万元

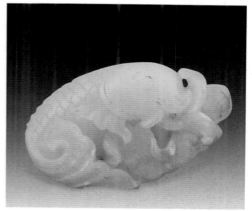

玉籽料鱼形挂件　高 5cm　估价 4800 元

三环玉印　2.6cm×2.6cm×3　估价 2.6 万元

五环玉印　2.6cm×2.6cm×3　估价 4.7 万元

青玉盘一对　尺寸不一　估价 30 万元　"张丞"款

和田白玉砚　笔洗两件一套　尺寸不一　估价 26 万元　"乾隆年制"款

和田白玉人物玉牌　高 6.2cm 宽 4.5cm
估价 5700 元

和田白玉童戏玉牌　高 5.9cm 宽 4cm
估价 4800 元

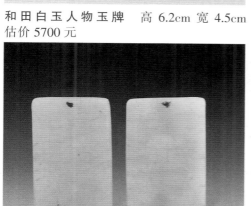

和田玉牌　高 6.2cm 宽 4cm　估价 7700 元

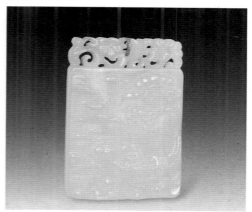

玉牌　高 5.7cm 宽 4cm　估价 2800 元

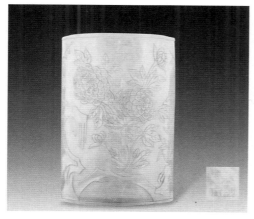

青玉花卉笔筒　高 11.2cm 估价 1.8 万元
"大明启贤"款

和田玉鼻烟壶　高 6cm　估价 9500 元

和田玉白带皮祥龙牌　高 7.3cm 宽 5cm　估价 10 万元

和田白玉瓶形罐　高 11cm　估价 17 万元

龙凤佩　5.7cm×4cm　估价 4500 元

和田白玉玉璧　直径 20cm　估价 14 万元

玉吉祥如意挂牌　高 6cm 宽 3.8cm
估价 14 万元

玉手镯　直径 8cm　估价 5.7 万元

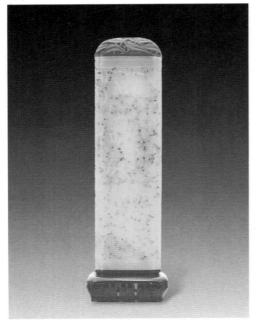

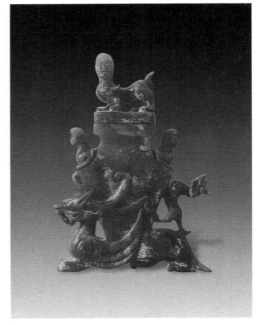

缠枝菊花镂空玉柱子　高 33cm
估价 36 万元　青玉上中下三合一

玉凤形尊　高 26cm　估价 16 万元

青玉观音摆件　高 16cm　估价 13 万元

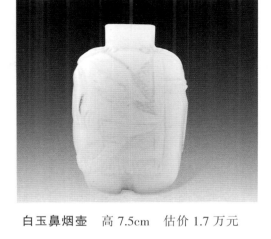

白玉鼻烟壶　高 7.5cm　估价 1.7 万元

玉瑞兽　高 4.8cm 宽 7.5cm　估价 1.6 万元

和阗玉镂空雕荷莲纹香囊　5cm×4cm
估价 4.5 万元

镂空人物玉牌（有袋子）　直径 6.9cm
估价 2.6 万元

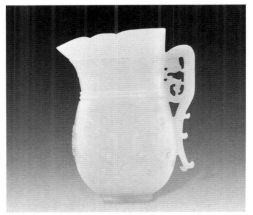

饕餮纹玉杯　高 8cm　估价 9800 元

清中期　白玉坐佛　高 15.5cm
估价 12 万元–18 万元

清中期　玛瑙巧雕刘海戏金蟾
高 5.3cm　估价 6000 元–8000 元

清　田黄石雕观音　高 6.1cm
估价 2.5 万元–3.5 万元

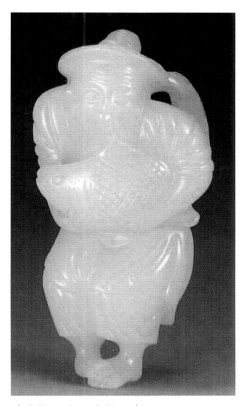

清中期　白玉渔翁　高 5cm
估价 2 万元–3 万元

清中期　白玉寿星　高 11.6cm
估价 0.8 万元–1.2 万元

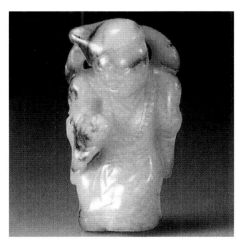

清　白玉济公　高 4.8cm　估价 3000 元

清中期　白玉四喜人　宽 4cm
估价 0.6 万元–0.8 万元

清十八世纪　御题诗句刻花纹玉屏风
高 29.2cm　估价 HKD30 万–40 万

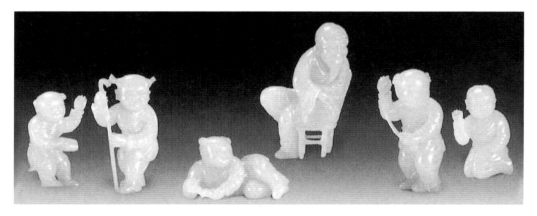

清中期　白玉五子闹学(六件)　大小不一　估价 3.5 万元–5 万元

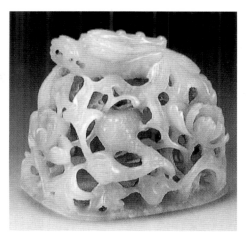

元　白玉透雕龙穿花炉顶
估价 2 万元–3 万元

清　青玉题诗扳指　直径 2.4cm
估价 HKD1.5 万–2 万元

宋　旧玉手镯　内直径 6cm　估价 4 万元–6 万元

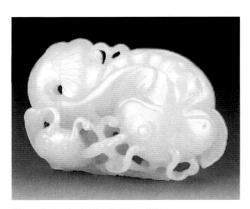

清　白玉年年有余佩　宽 7cm
估价 8000 元

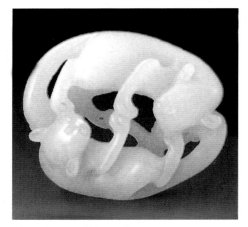

清　白玉双獾佩　宽 4.7cm
估价 8000 元

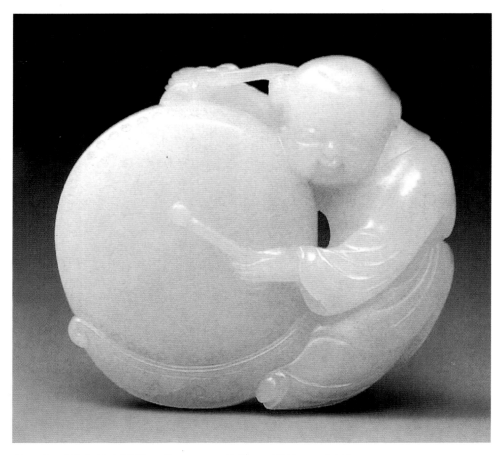

清　白玉雕击鼓童子佩　高 4.9cm　估价 3.5 万元–4.5 万元

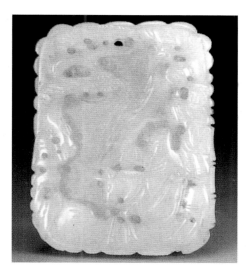

清中期　白玉人物佩　高 5.7cm
估价 1.5 万元–2.5 万元

清中期　白玉人物佩　高 5.2cm
估价 6 万元–8 万元

清中期　白玉松下高士抚琴佩　高 5.7cm　估价 12 万元–16 万元

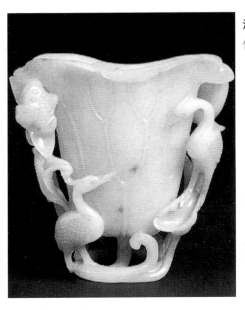

清初　白玉荷叶形瓶　高 8cm
估价 0.6 万元–1 万元

清中期　玉花卉双耳瓶　高 21.5cm
估价 10 万元–15 万元

清中期　玉兽面纹瓶　高 17.5cm
估价 6 万元–8 万元

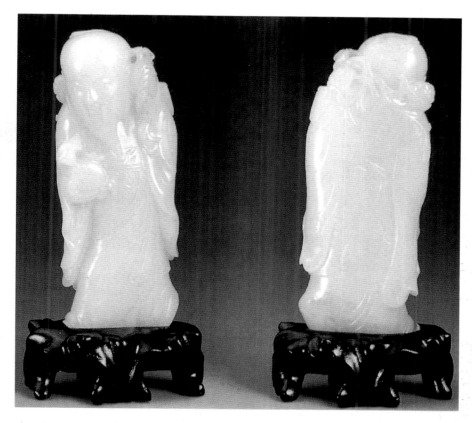

清　白玉东方朔　高 9.1cm　估价 4.5 万元–5 万元

清　青白玉持莲童子　高 6cm
估价 2000 元–3000 元

清　白玉雕福禄童子摆件　高 10cm
估价 2.2 万元–2.6 万元

汉　白玉马　宽 8.3cm　估价 30 万元–40 万元

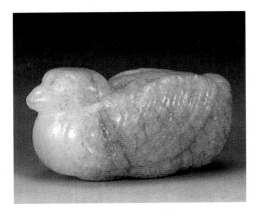

宋　玉鸭　宽 4.5cm
估价 1.5 万元–2.5 万元

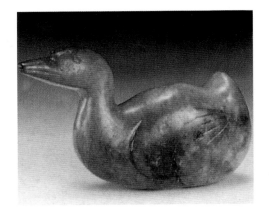

宋　旧玉鸭　宽 8.3cm
估价 1.3 万元–1.6 万元

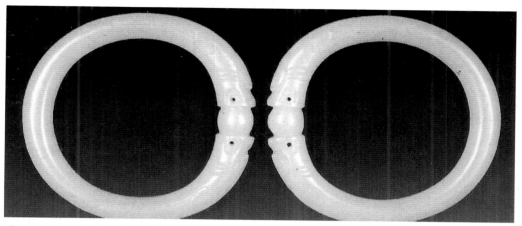

清　白玉雕二龙戏珠手镯(一对)　直径 5.7cm　估价 3.5 万元–4.5 万元

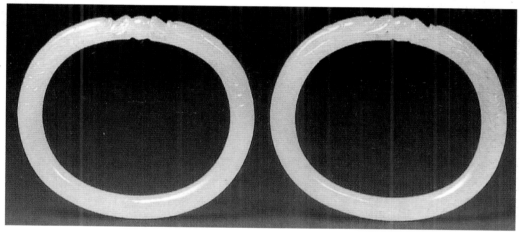

清　白玉双龙戏珠手镯(一对)　直径 7.5cm　估价 0.8 万元–1.2 万元

明　白玉绞丝镯　直径 7.8cm
估价 0.6 万元–0.8 万元

清中期　白玉多子多福坠　高 7.5cm　估价 2 万元–3 万元

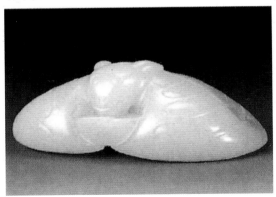

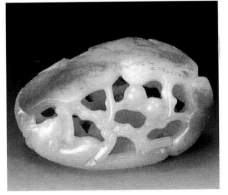

清中期　白玉福在眼前坠　长 5.3cm
估价 2 万元–3 万元

清中期　白玉带皮松鼠葡萄坠
宽 6cm　估价 1.5 万元–2.5 万元

清中期　白玉平安佩　高 4.1cm
估价 6 万元–8 万元

清中期　白玉长宜子孙佩　高 3.8cm
估价 1.8 万元–2.8 万元

清中期　白玉螭纹佩　高 5cm
估价 1.8 万元–2.8 万元

清乾隆　白玉童子献寿佩　高 4.2cm
估价 1.8 万元–2.8 万元

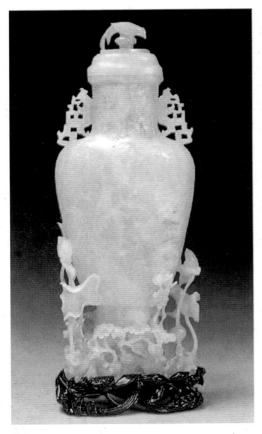

清中期　白玉双螭龙纹瓶　高 14.3cm
估价 5 万元-7 万元

清　白玉一路连升双耳盖瓶　高 22cm
估价 7 万元-9 万元

明　墨玉饕餮纹双耳环　直径 6.5cm　估价 1.2 万元

清　玉雕鹿灵童子　高 5.8cm　估价 4.5 万元–5 万元

清　白玉刘海　高 7cm　估价 4 万元

清　白玉留皮和合二仙　高 5.5cm
估价 3.6 万元

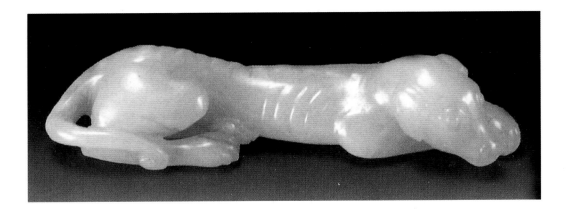

宋　白玉卧犬　宽 89cm　估价 1.8 万元

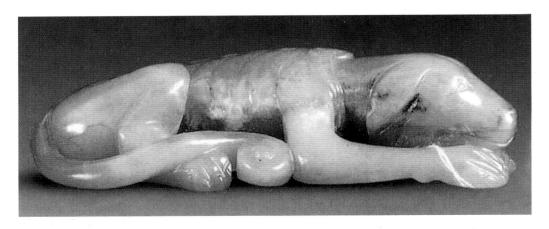

元　玉卧犬　宽 7.2cm　估价 1.2 万元–1.5 万元

明　青玉双羊摆件(附座)　宽 8.5cm
估价 1.2 万元–2.5 万元

明　玉童子牧牛　宽 6cm
估价 1.8 万元–2.8 万元

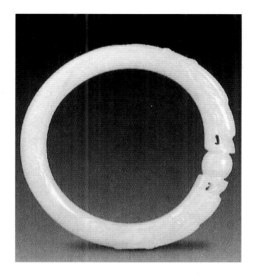

清初　白玉双龙戏珠纹手镯

直径 7.3cm　估价 0.8 万元–1 万元

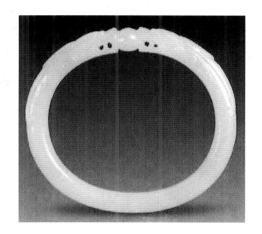

清　白玉双龙珠纹手镯　直径 7.5cm
估价 0.5 万元–0.6 万元

清　翡翠手镯　直径 6.9cm
估价 2 万元–3 万元

清　白玉手镯　直径 6.9cm
估价 0.5 万元–0.6 万元

清　旧玉雕螭虎手镯　直径 8cm
估价 0.2 万元–0.4 万元

金/元　玉雕荷花双寿小插牌　高 6.8cm　估价 3.5 万元–5 万元

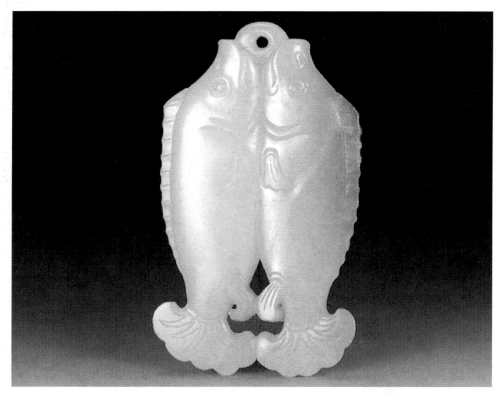

清中期　白玉双鱼坠　高 7.7cm　估价 2.2 万元–3 万元

清中期　白玉高士隐孤素娴佩　高 6.2cm　估价 18 万元–25 万元

清中期　白玉透雕福寿双全
高 5.6cm　估价 0.6 万元–0.8 万元

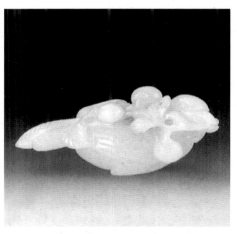

清　白玉喜事连连佩　高 6cm
估价 0.4 万元

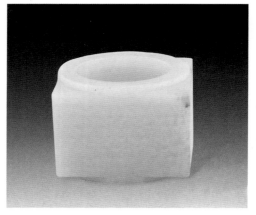

玉琮　高 4cm 直径 5cm　估价 4.5 万元

玉琮　直径 9.5cm　估价 6.8 万元

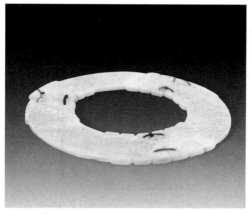

龙形三连玉璜　直径 14.8cm　估价 4.3 万元

大汶口文化玉器　宽约 8cm　估价 9.2 万元

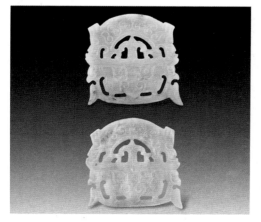

龙形虎面玉佩一对　高 7.4cm 宽 7.5cm
估价 3 万元

玉面人　宽约 18cm
估价 120 万元–200 万元

44

玉瑞兽　8cm×3.2cm　估价 4500 元

和田白玉松鹤延年福禄籽玉山子
高 24.7cm 宽 19cm　估价 58 万元

螭龙玉璧　直径 23cm　估价 9.4 万元

螭龙手镯一对　直径 7.3cm　估价 13 万元

45

明　白玉蕉叶纹出戟花觚　高 26.2cm
估价 2 万元–3 万元

明　黄玉兽面琮式熏炉　高 7cm
估价 5 万元–7 万元

清乾隆　白玉龙纹倭角盒　长 7.1cm　估价 1.8 万元–2.8 万元

46

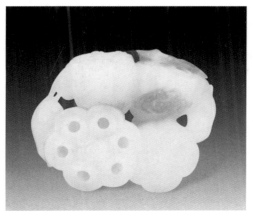

和田莲藕把件　直径 6cm　估价 4800 元

和田钟馗戏龙把件　高 8.3cm　估价 9500 元

和田瑞兽把件　高 9.5cm 宽 6cm　估价 1.6 万元

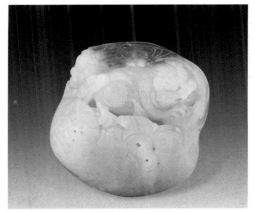

和田福禄寿把件　高 7.5cm 宽 7.5cm
估价 2.7 万元

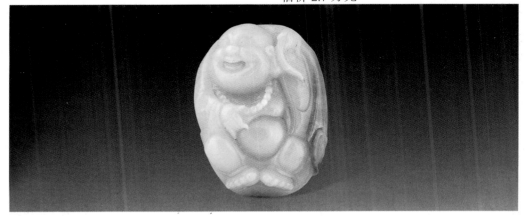

和田笔佛挂件　长 7.3cm　估价 6200 元

元 玉瑞兽 高 6cm
估价 2 万元–2.5 万元

元 青玉瑞兽 高 4.8cm 估价 8000 元

宋 白玉泌色卧羊 宽 5.8cm 估价 1.8 万元

青玉瑞兽酒盏　高 21cm 宽 15.5cm
估价 4.3 万元

龙凤形玉摆件　长 16.5cm 高 5cm
估价 4.5 万元

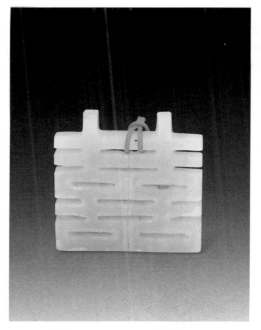

和田双喜牌　4cm×4cm　估价 2 万元

和田玉镂空双喜牌　6cm×3.8cm　估价 9 万元

出廓璧　高 19.5cm　估价 9.4 万元

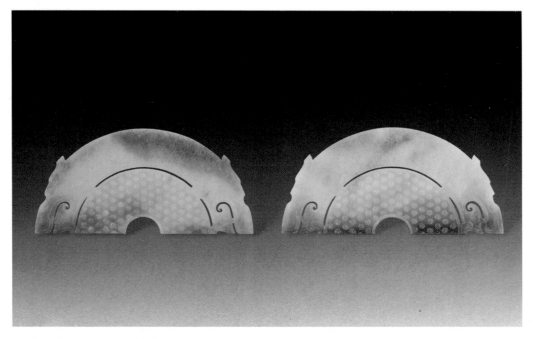

双璜　直径 20.5cm　估价 9.6 万元

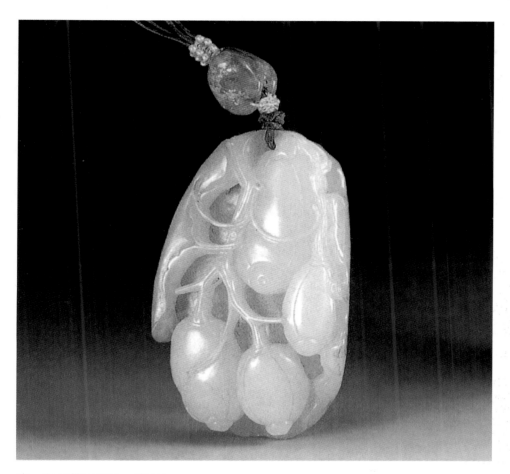

清　白玉带皮瓜坠　高 5.5cm
估价 1.2 万元–1.8 万元

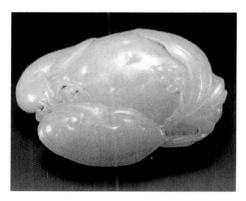

清中期　白玉灵芝坠　宽 5.5cm
估价 6000 元–8000 元

清　白玉如意坠　宽 4.3cm
估价 3500 元–5000 元

白玉凤　高 4.8cm×3cm　估价 5.5 万元

白玉挂件　长 5.1cm　估价1.8 万元　有小伤

玉鹅　长 5.5cm 高 3.5cm　估价 1.7 万元

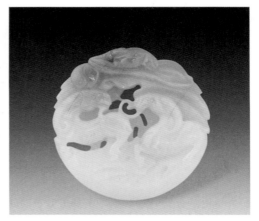

和田瑞兽挂件　直径 5cm　估价 2800 元

和田花鸟玉牌　高 6.2cm 宽 5cm
估价 3500 元

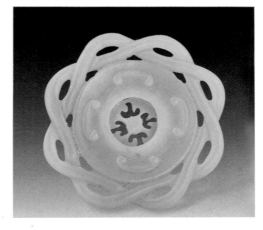

和田双环挂件　直径 6.3cm　估价 5500 元

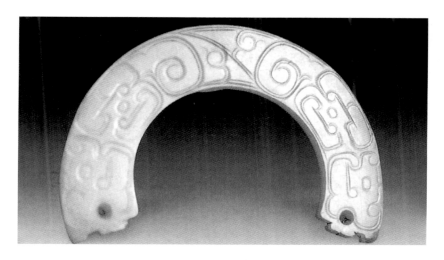

西周　白玉雕龙纹璜　长 10.2cm　估价 6 万元–7 万元

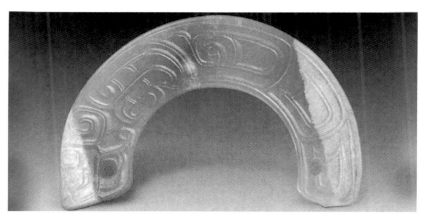

西周　青玉龙首璜　长 7.8cm　估价 1.5 万元

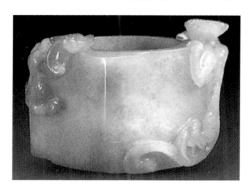

青　白玉螭纹琮　高 5.8cm
估价 2.5 万元–3 万元

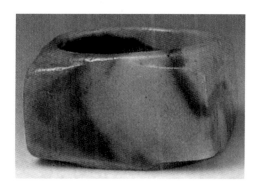

西周　白玉琮　宽 7.3cm
估价 1.5 万元

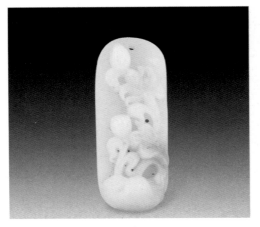

和田莲藕挂件　长 6.8cm　估价 3200 元

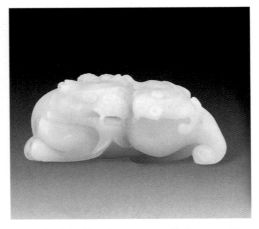

和田龙纹摆件　长 7.5cm　估价 4200 元

和田瑞兽挂件　直径 5cm　估价 3000 元

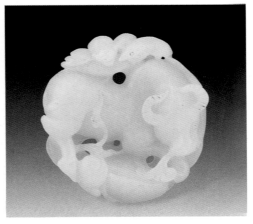

和田龙纹挂件　直径 5.5cm　估价 3200 元

和田镂空挂件　长 7cm　估价 4500 元

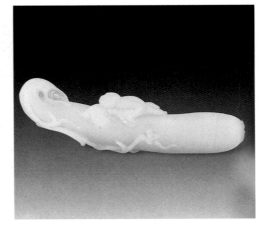

和田人参娃娃把件　长 11.5cm　估价 1 万元

清中期　白玉凤首壶　高 16cm　估价 40 万元-60 万元

清乾隆　玉雕莲瓣带莲蓬盖壶杯一套　宽 18.4cm 直径 8cm　估价 HKD50 万元-70 万元

明　白玉独角兽　宽 8cm
估价 2.5 万元–3.5 万元

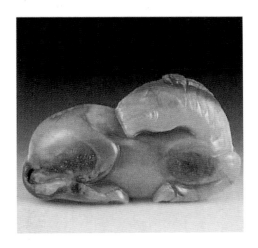

明　青玉马　长 9.5cm
估价 3.5 万元–3.8 万元

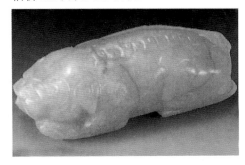

明　青玉瑞兽　宽 6.5cm　估价 1.2 万元

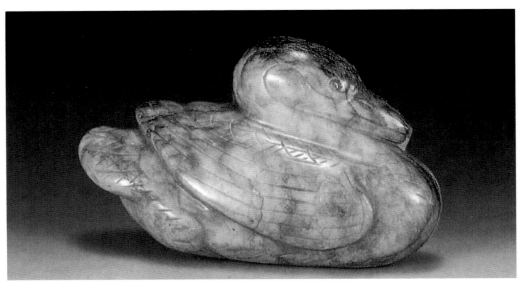

明　旧玉鸭　宽 11.5cm　估价 8000 元–1.2 万元

56

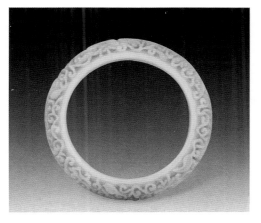

镂空福寿玉手镯　直径 8cm　估价 1.8 万元

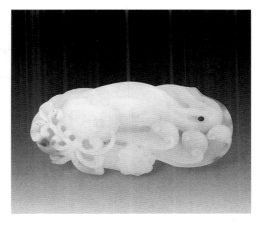

和田莲藕挂件　长 7.3cm　估价 4500 元

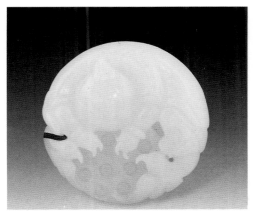

和田玉童戏摆件　直径 5cm　估价 3200 元

玉牌　高 7.4cm 宽 4.5cm　估价 5.7 万元

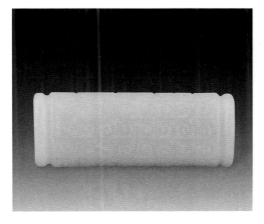

和田玉把件　长 7.3cm　估价 1.8 万元

玉斧　长 6.1cm 宽 5.7cm　估价 1.7 万元

明　玉童子牧牛　宽 6cm
估价 1.5 万元–2.5 万元

明　白玉马　宽 6cm
估价 1.5 万元–2.5 万元

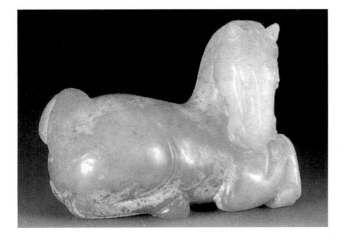

明　玉卧马　宽 7cm
估价 8 万元–10 万元

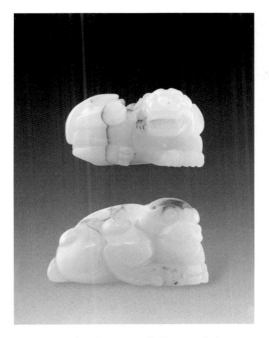

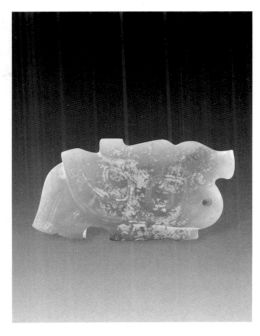

玉貔貅一对　长 5cm　估价 4.8 万元

玉龙　长 7.5cm　估价 4.7 万元

和田玉子孙满堂摆件　高 15.7cm 宽 19cm
估价 9.6 万元

白玉麒麟一对　高 13.2cm 长 20cm
估价 9.5 万元　其中有一只有磕

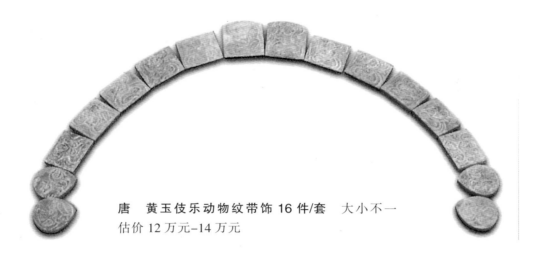

唐　黄玉伎乐动物纹带饰 16 件/套　大小不一
估价 12 万元–14 万元

宋　白玉镂雕云龙带饰
长 9.8cm　估价 1.8 万元

元　白玉凤穿花饰件　长 8.7cm
估价 2.5 万元–3.5 万元

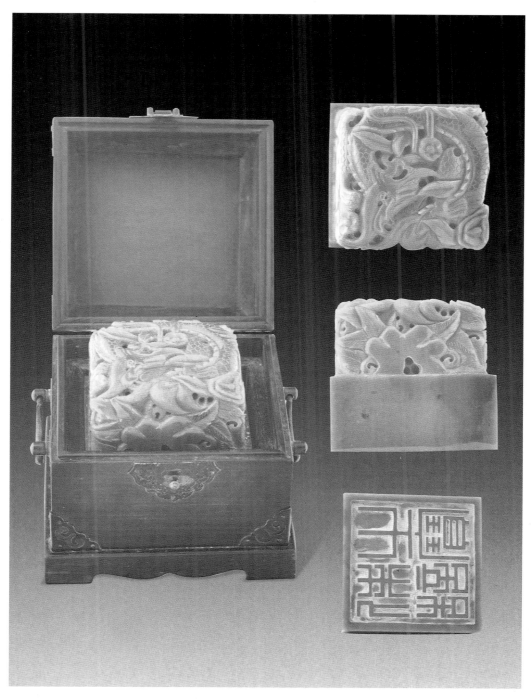

和田玉玉玺　高 9.3cm 宽 9.9cm　估价 23 万元

清　白玉雕大吉天喜葫芦牌(一对)　高 7.4cm　估价 4.6 万元–5.6 万元

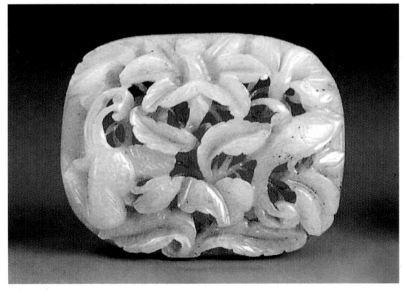

元　白玉镂雕花鸟纹牌　宽 7.2cm　估价 7000 元–8000 元

玉雕人首蝉身像　高 9.5cm　估价 45 万元–80 万元

战国　玉璜　宽 14cm　估价 6 万元–8 万元

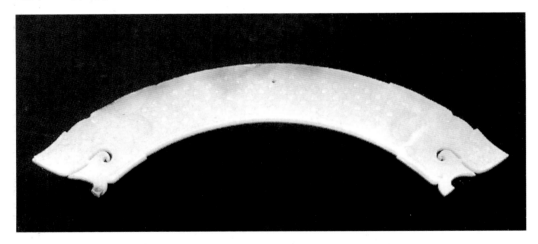

战国　白玉双龙虎首珩　宽 17cm　估价 12 万元–18 万元

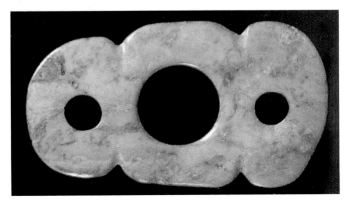

红山文化　旧玉三孔璧
高 6.2cm　估价 3500 元–6000 元

兽纹玉璧　直径 6.8cm　估价 2.5 万元

兽纹玉璧　直径 6.7cm　估价 2 万元–5 万元

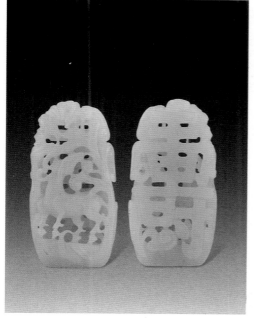

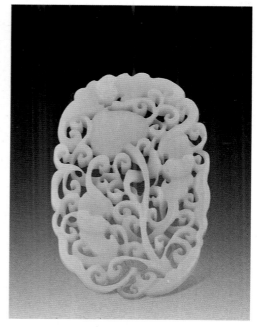

镂空马上封侯　高 6.7cm　估价 1.3 万元

镂空福寿佩　高 6.6cm　估价 1.2 万元

清乾隆　青灰玉双耳瓶　高 23.6cm　估价 28 万元–35 万元

清乾隆　白玉碗　直径 16cm
估价 2 万元–3 万元

清　痕都斯坦式菊花瓣碗　直径 13cm
估价 HKD5 万元–7 万元

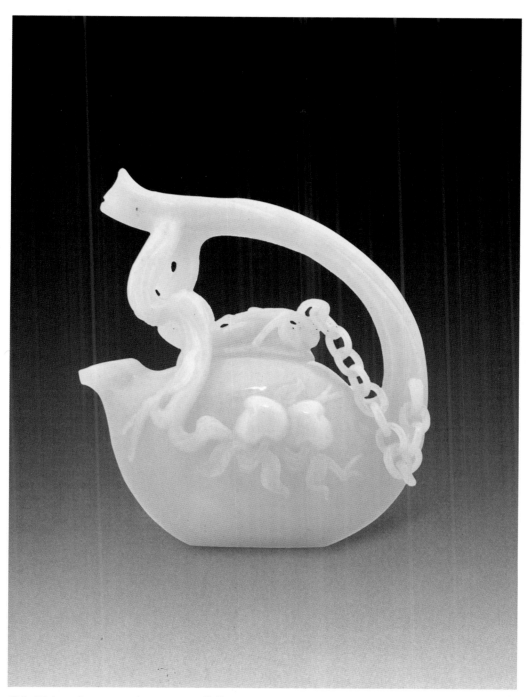

寿如玉壶　高 13.5cm 宽 11.5cm　估价 52 万元

明　白玉鹭　高 7.8cm
估价 5000 元–8000 元

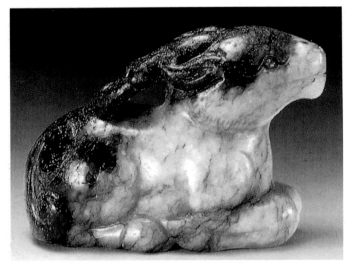

明　黑白玉卧鹿摆件　长 7cm
估价 1.8 万元–2.8 万元

明　旧玉含凌霄花卧鹿　宽 8cm
估价 3800 元–5000 元

和田玉子杆牌　高 11.5cm 宽 8.5cm
估价 4.4 万元

和田白玉五子弥勒佛
高 16.5cm 宽 17.5cm　估价 13 万元

黄玉佛像摆件　高 13.5cm　估价 5.6 万元

玉插屏(组)　13cm　估价 35 万元　3 件/组

明　黄玉瑞兽　高 7.5cm
估价 2.8 万元–3.8 万元

唐　白玉凤　高 5cm　估价 5800 元–7000 元

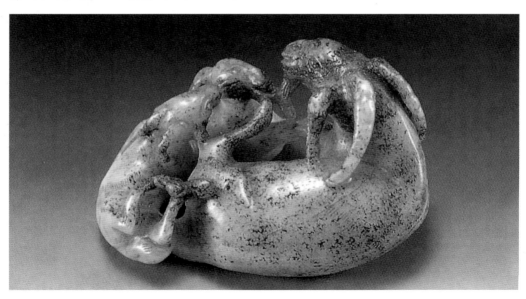

明　白玉三羊开泰摆件　宽 8.5cm　估价 3 万元–5 万元

玉兽面人 高 13cm 宽 6cm
估价 150 万元–200 万元

玉双角神人器 高 25cm
估价 150 万元–300 万元

玉人一对 高 20cm 估价 230 万元–300 万元

舞女玉佣(7 件) 尺寸不一 估价 150 万元

羊脂玉文房四宝 共 4 件 估价 260 万元

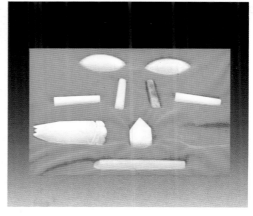

九窍塞 9 件 估价 100 万元

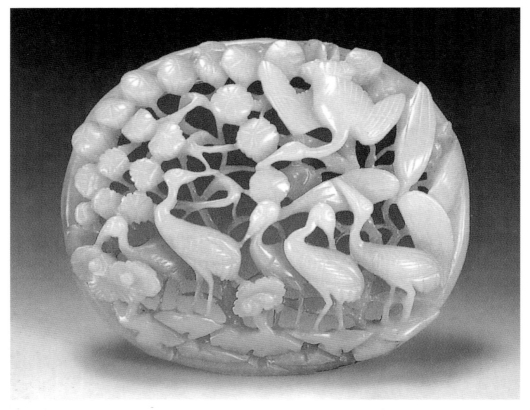

明　白玉六福同春饰件　宽 8cm　估价 2.5 万元–3.5 万元

明　白玉双蟠饰件
宽 8cm
估价 1.8 万元–2.8 万元

和田瑞兽　　长 3.5cm　　估价 3 万元

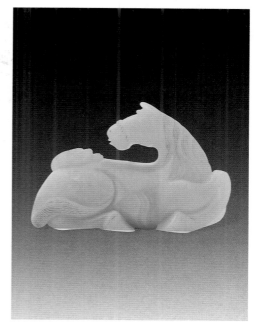

青白玉马上有钱　　5.8cm×8cm　　估价1.5 万元

和田白玉观音　　高 17cm　　估价 13 万元

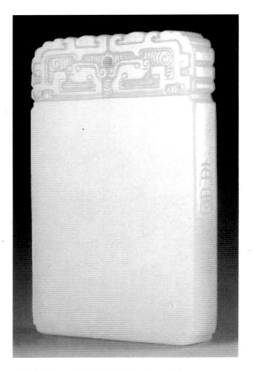

清中期　白玉龙纹佩　高 4.7cm
估价 1.5 万元–2.5 万元

清中期　白玉平安佩　长 6.4cm
估价 3 万元–5 万元

清　白玉蟠龙佩　高 7cm　估价 1 万元

玉鸟尊　高 17.5cm　估价 4.5 万元

和田双象耳菊花口尊　高 11cm　估价3.2 万元

白玉四羊花觚　高 18.2cm　估价 2 万元

玉扳指一对　直径 3cm　估价 2800 元

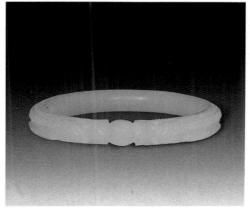

白玉双龙戏珠手镯　直径 7.5cm
估价 5.7 万元

和田籽料鹭莲　高 6cm　估价 2500 元

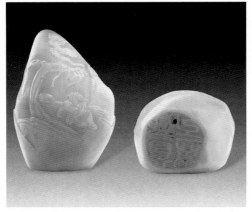

田黄印章　高 6.5cm　估价 7200 元

寿山冻石章（一对）　8.5cm×2.5cm×2
估价 25 万元–45 万元

田黄石印章　高 9cm 宽 4cm　估价 35 万元

鸡血石印章　长 10cm 宽 3cm
估价 35 万元–50 万元

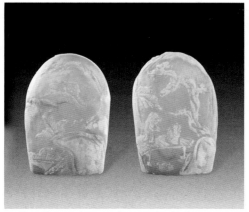

田黄石章料　高 8cm 宽5.5cm　估价 4.6 万元

鸡血石印章　长 7.7cm 宽 0.5cm
估价 15 万元–45 万元

清　玉琮　高 11.5cm
估价 5000 元–1 万元

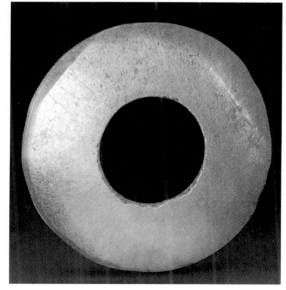

周　黄玉璧　直径 9.5cm　估价 3 万元–5 万元

战国　青玉双龙首璜　长 13cm　估价 30 万元–40 万元

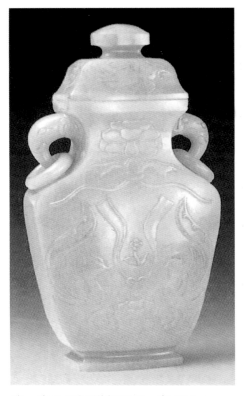

清　青玉双凤纹象耳瓶　高 15.2cm
估价 2.5 万元

清　黄玉张拭写经圆小瓶　高 7.5cm
估价 3 万元–4 万元

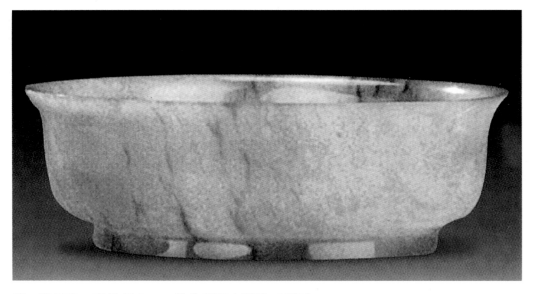

清　翠玉碗　直径 12.8cm　估价 HKD4 万元–6 万元

明　玉卧兽　宽 7cm
估价 1 万元–1.2 万元

明　旧玉狮　长 7cm
估价 12 万元–15 万元

明　玉虎　宽 4cm
估价 3 万元–5 万元

明 青玉留皮透雕穿花天鹅纹嵌饰 宽 9.5cm
估价 1.8 万元

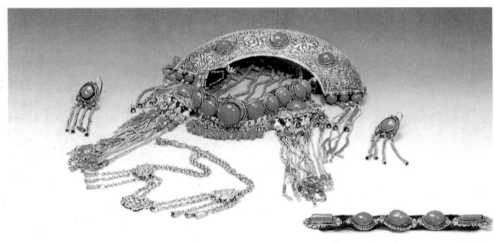

清 珊瑚头饰(五件) 大小不一 估价 5 万元

清 白玉云纹蟠螭剑饰(附座) 长 13cm
估价 2.5 万元-3 万元

玉琮　高 15cm　估价 55 万元

镂空玉盖瓶　高 32.5cm　估价 7 万元

鸡心佩　4.8cm×4.8cm　估价 3.7 万元

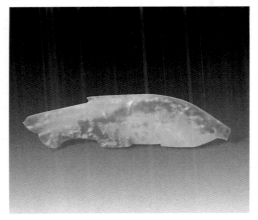

白玉鱼形挂件　直径 4cm　估价 1800 元

白玉琮　径 3.5cm　估价 6500 元

良诸寇形器　高 4cm　估价 4 万元

81

明　白玉透雕麒麟饰件　宽 6.4cm
估价 1.5 万元–2.5 万元

汉　青白玉剑铋　长 5.5cm
估价 1 万元–1.5 万元

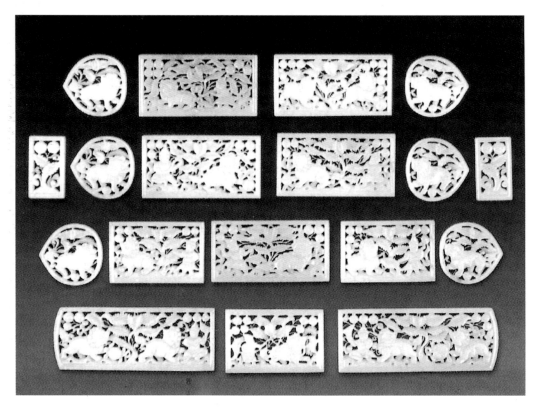

元　白玉镂雕戏狮纹带饰 18 件/套　大小不一　估价 10 万元–18 万元

双龙璧　高 5.2cm　估价 4500 元

镂空双鼠戏龙佩　长 6.9cm　估价 9200 元

虫化玉　尺寸不一　估价 39 万元

清　白玉松下高士佩　高 5.3cm　估价 4 万元–5 万元

清　白玉浮雕勾云纹佩　高 3.7cm
估价 1 万元–1.2 万元

清　白玉双龙转心佩　宽 7.2cm
估价 5000 元–8000 元

兽纹玉璧　外直径 23.3cm 内直径 4.2cm　估价 96 万元

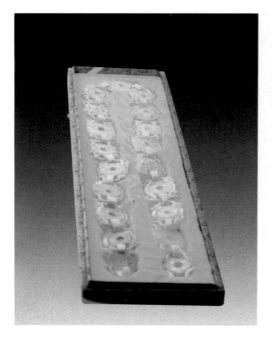

白玉腰带　120cm　估价 32 万元　　　和田白瑞兽　长 12cm　估价 2.5 万元

玉牛摆件　长 19cm　估价 7.3 万元

玉猪龙　高 7.5cm 宽 5.5cm　估价 55 万元–80 万元

白玉瑞兽　长 13.5cm 高 7.8cm　估价 25 万元

和田白玉春宫图　尺寸不等　估价 45 万元–80 万元　1 套 10 件

青玉避邪　长 8cm 高 5.2cm　估价 1.7 万元

镂空螭龙 (带糖色)　高 6cm 宽 4.5cm
估价 4.2 万元

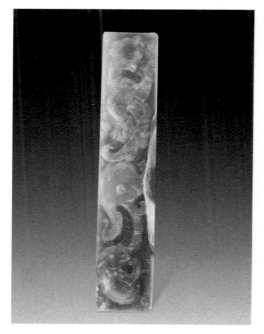

瑞兽镇纸　长 10.3cm　估价 5200 元

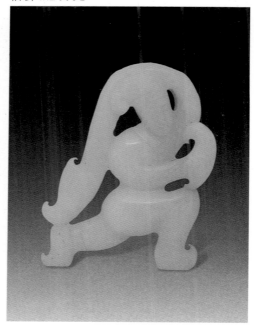

白玉人物　高 8cm 宽 6cm
估价 1.8 万元-3 万元

兽面纹玉璧 　直径 8.5cm 　估价 23 万元

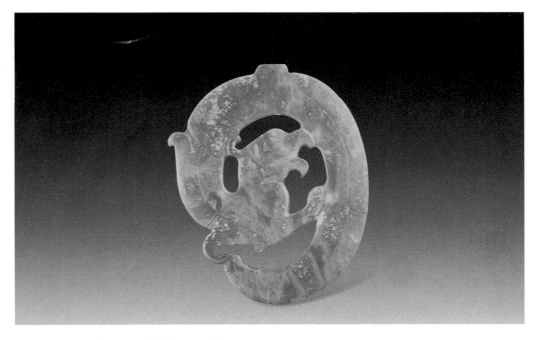

镂空团凤佩 　高 8cm 　估价 50 万元

双耳活环玉壶 高 16.8cm
估价 12 万元-25 万元

青玉文房四宝(5 件) 尺寸不一
估价 8.7 万元 "乾隆年制"款

红山文化勾云形器 长 18cm 宽 8cm 估价 38 万元

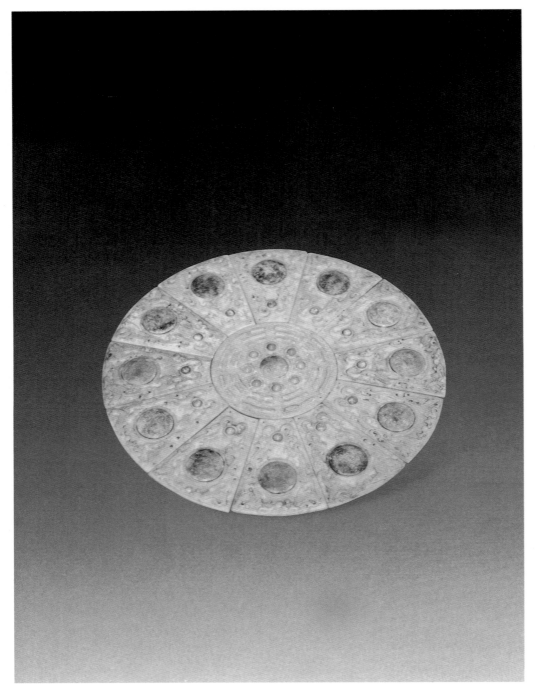

八卦玉璧 直径 54cm 估价 89 万元

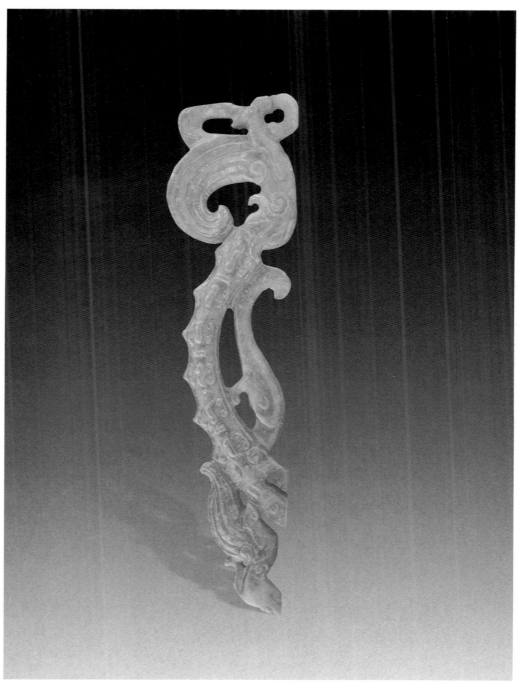

透雕龙凤玉摆件　20cm×4.5cm　估价 45 万元–80 万元

玉鱼　长 4.8cm　估价 7200 元

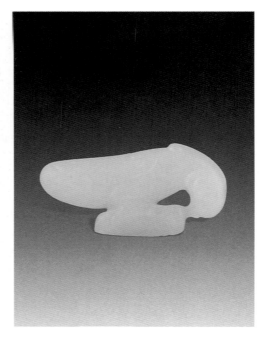

玉鸟　长 4.6cm　估价 6800 元

玉马　长 4cm　估价 4200 元

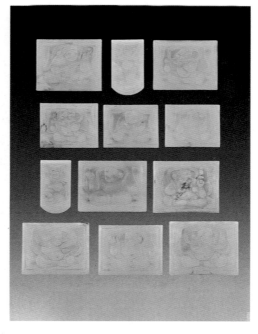

唐乐人玉带板(12 件)　尺寸不一
估价 7.2 万元

青玉牛 长 16cm 高 8.8cm 估价 17 万元

寿山冻石　狮钮　高 4cm　估价 21 万元
头陀再世　将军石身（徐三庚）

白玉貔貅挂件　直径 4.7cm　估价 4.2 万元

青白玉宝橡花摆件一对　高 27cm 宽 7cm
估价 7.1 万元

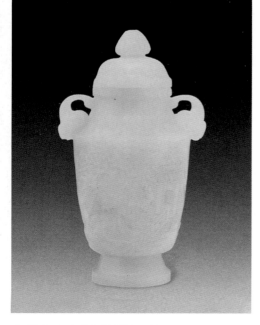

白玉山水人物双耳瓶　高 18.8cm
估价 13 万元

黄玉镂空龙璧　长 18.5cm 高 13cm　估价 26 万元　有裂纹

白玉瑞兽一对　尺寸不一　估价 28 万元

白玉花鸟瓶　高 16cm　估价 16 万元

三足双凤耳兽纹壶　高 19.4cm
估价 16 万元

双凤出廓玉璧　直径 5.2cm 最长 7.8cm　估价 2.7 万元

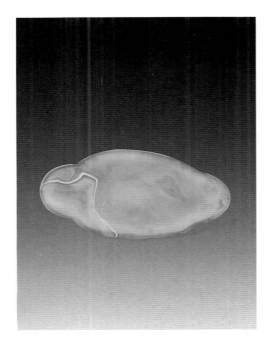

玛瑙耳杯　长 12.2cm　估价 1.7 万元

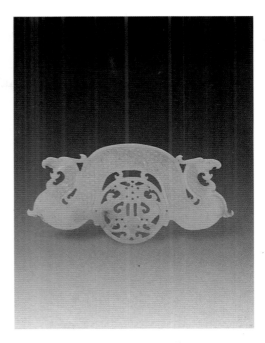

双凤玉璜 玉璧　长 32cm　估价 17 万元

六龙玉璧　直径 20cm　估价 46 万元

喜上梅梢玉件　直径4.7cm　估价5.2 万元

四连玉印　2.5cm×2.8cm×4　估价 3.7 万元

龙纹玉璧　直径 22cm　估价 35 万元-70 万元

小龙纹玉璧　直径 14.5cm　估价 9.5 万元

龙凤喜上梅梢玉镇纸一对
长 27.5cm　估价 1.7 万元

玉人　长 6cm　估价 7.2 万元

和田玉 瑞兽　长 5.6cm 高 2.5cm
估价 2.7 万元

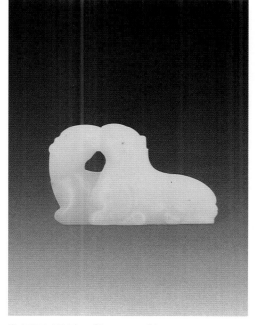

和田玉 双马　长 5.3cm 高 3.8cm
估价 4.5 万元

和田玉 胡人　高 5cm　估价 2.5 万元

白玉犀牛雕牛　长 8.5cm　估价 9200 元

玉犀牛雕牛　长 7cm 高 4cm　估价 8000 元

玉熊　长 6cm　估价 0.8 万元−2 万元

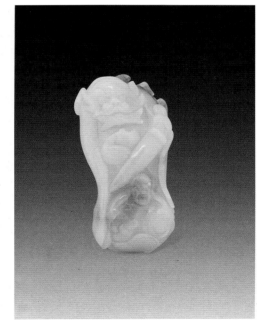

和田玉钟馗雕件　高 8cm　估价 4800 元

冻石童戏佛摆件　　重约 3900 克　　高 15cm　　估价 45 万元–80 万元

青玉花卉盖瓶　高 32.7cm　估价 4.4 万元　"乾隆年制"款

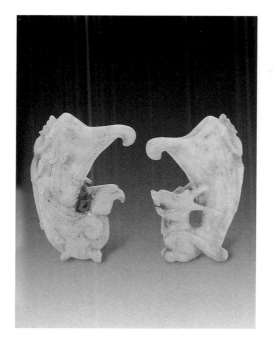

白玉龙凤形盏两件　高 10.5cm　估价 17 万元

九凤出廓玉璧　直径 28cm　估价 18 万元

寿山狮钮 徐鼎刻　高 17cm　估价 4.7 万元
欲共花低诉

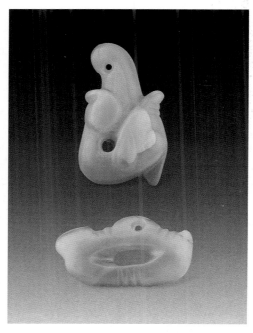

红山文化一对　尺寸不一　估价 8.2 万元

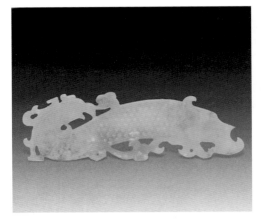

青玉玉龙佩　长 22cm
估价 75 万元–100 万元

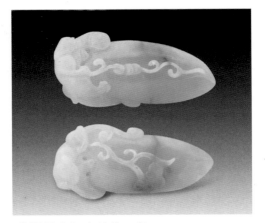

翡翠福寿如意挂件　长 5.4cm
估价 1700 元

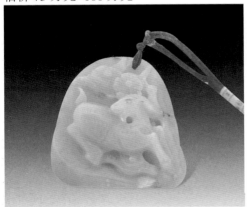

和田籽料扬眉吐气雕件　高 4.3cm
估价 1500 元

翡翠手镯　直径 8.3cm
估价 4 万元–10 万元

和田子臣佩　直径 5cm　估价 800 元

玉花鸟牌　高 6.6cm 宽 4.7cm
估价 1.7 万元

106

青白玉福到眼前双聊璧　直径 5.5cm×2cm　估价 7 万元

玉琮　高 12.5cm 宽 6cm　估价 55 万元–80 万元

玉官　高 12.6cm 宽 8.6cm　估价 4.5 万元

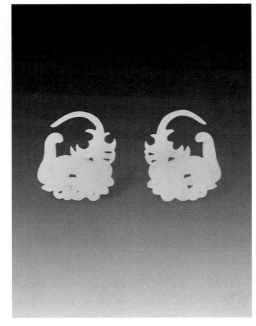

龙纹耳坠一对　高 5.2cm　估价 3.5 万元

田黄石雕价　重约 1230 克　高 12.5cm
宽 9.5cm　估价 17 万元

玉猪龙　高 13cm　估价 8.7 万元

春水带板 长 5.6cm 宽 4.7cm 估价 1.3 万元

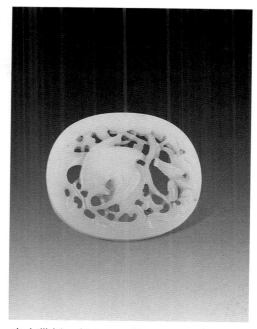

春水带板 长 5.7cm 宽 5cm
估价 1 万元–3 万元

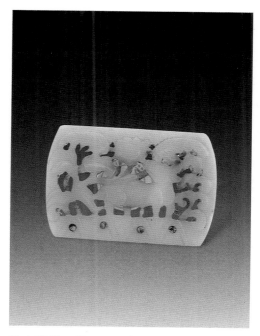

秋山带板 长 6.5cm 宽 4.5cm
估价 1 万元–3 万元

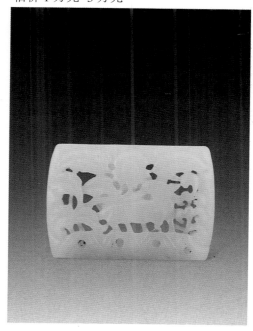

秋山带板 长 5.6 万元宽 4.2cm
估价 1.4 万元

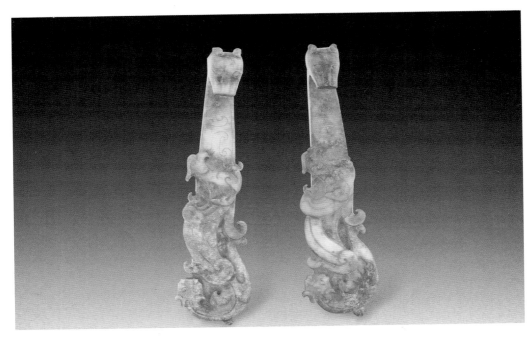

龙首带钩一对　长 13.5cm 高 2.5cm　估价 23 万元

莲藕玉摆件　长 22.5cm 高 10cm　估价 8.7 万元

龙纹玉璜　长 8cm　估价 7000 元

玉管　高 8.7cm　估价 2 万元-4 万元

龙纹玉镜　直径 12.8cm　估价 4.6 万元

玉蛙　长 5.9cm 宽 3.9cm　估价 2.5 万元

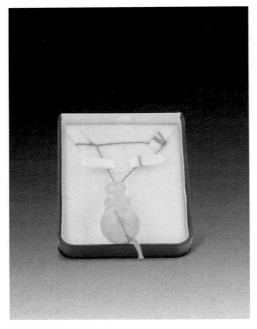

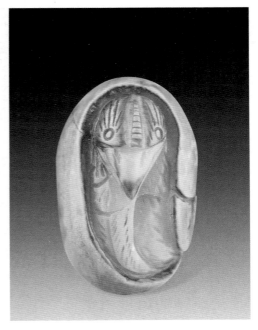

翠玉挂件　长 4cm　估价 4.7 万元

和田金鹅　直径 4.5cm　估价 5.3 万元

白玉双龙雕玉璧　宽 7.5cm 高 8.8cm　估价 7 万元

龙形佩　长 14.4cm　估价 8500 元

玉璜　长 24cm 高 10.2cm
估价 18 万元–30 万元

玉犀牛　长 10cm 高 6cm　估价 5.2 万元

青玉剑佩(4 件)　尺寸不一　估价 2.9 万元

龙凤出廓玉璧　高 21.8cm 直径 17cm　估价 17 万元

高古玉十二生肖八卦太极盘　直径 20.5cm　估价 45 万元–70 万元　共 21 块

朱砂玉斧　高 9cm　估价 1800 元

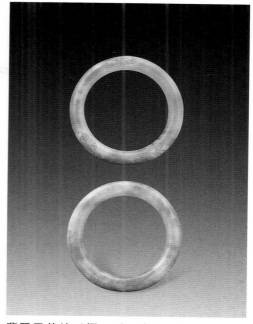

翡翠灵芝纹手镯一对　直径 3.2cm
估价 13 万元

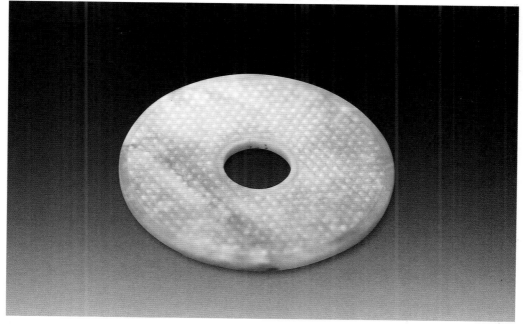

萄纹白玉璧　外直径 10.5cm 内直径 2.2cm　估价 25 万元

翡翠戒指 总重 19.8107 克 颜色浅绿 估价 100 万元–150 万元

螭龙镂空玉雕　高 7cm　估价 8 万元–15 万元

翡翠扳指一对　尺寸不一　估价 4.5 万元

红山文化云勾璧　长 19.5cm　估价 88 万元

双孔雀带板　长 5.3cm 宽 4.7cm
估价 1.3 万元

青田石 狮钮印章　0.8cm0.2cm
估价 2800 元

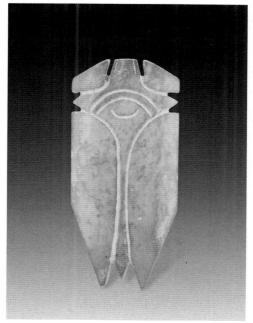

黄玉蝉　长 9cm 宽 4.5cm　估价 4.3 万元

龙瑞玉带　5×3×2cm　估价 12 万元–20 万
元　13 块一套

玉兽面纹器　长 16cm 宽 6cm　估价 120 万元–200 万元

螭龙环古玉璧　直径 20cm　估价 8 万元

和田玉福禄寿摆件　高 10.5cm
估价 23 万元

红山文化鬼五钟馗四件　尺寸不等
估价 35 万元–50 万元　其中两底有裂口

和田白玉扳指　高 2.8cm 直径 3.2cm
估价 2.5 万元

司南　5cm×3.2cm　估价 2.7 万元

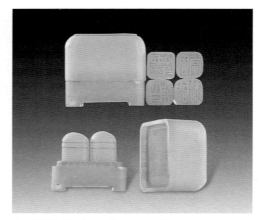

灰田四刻玉章　高 4.8cm 宽 4.8cm
估价 25 万元-45 万元

周颢印章　高 7.8cm　估价 6800 元

陈鸿寿印章　高 9.8cm　估价 4 万元-9 万元

瑞兽印章　高4.8cm 宽4.8cm　估价1.8 万元

小五龙纹璧　直径 10cm
估价 1.5 万元-3 万元

音乐仆俑六件　估价 10 万元

刘姥姥（玉髓） 尺寸不一 估价 2.8 万元

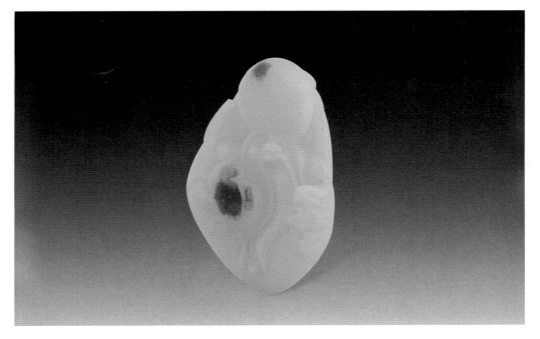

和田寿星挂件 长 5.5cm 估价 4500 元

青玉香囊　高 3.6cm　估价 4.2 万元　　　青白婴戏玉人　长 5cm　估价 4 万元–8 万元

玉带钩　长 19.5cm　估价 2.5 万元

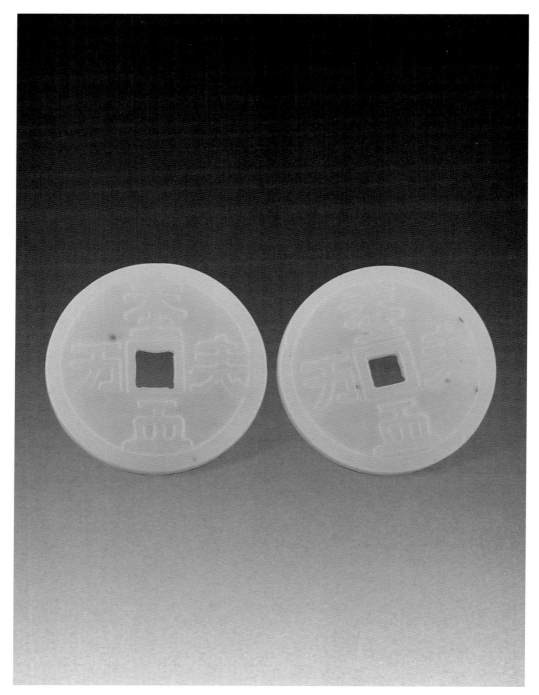

玉钱一对　直径 5.3cm　估价 5.6 万元

出廓凤璧 高 24cm 估价 15 万元

出廓凤璧 高 23cm 估价 12 万元–25 万元

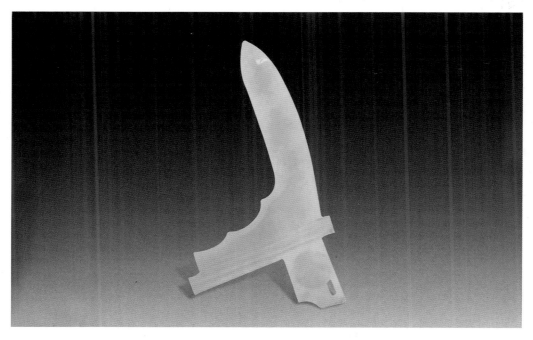

玉琮 长 6.3cm 估价 8800 元

玉剑兽　直径6.5cm　估价 18 万元–27 万元

福禄寿玉摆件　高 4.8cm 长 7.5cm 估价 1 万元

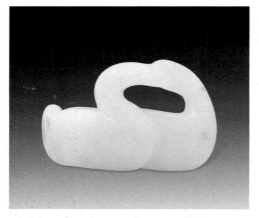

双鹅白玉件　长 6cm 高 4cm　估价 8800 元

玉腰带板　高 4.5cm 宽 5cm　估价 6800 元

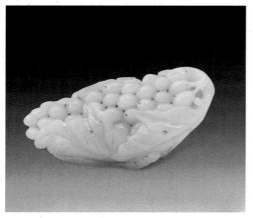

葡萄松鼠镂空玉件　高7.5cm　估价 7200 元

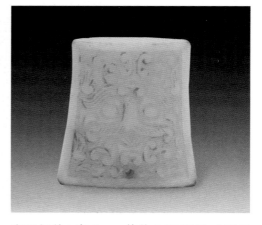

白玉佩件　高 5cm　估价 0.28 万元–5 万元

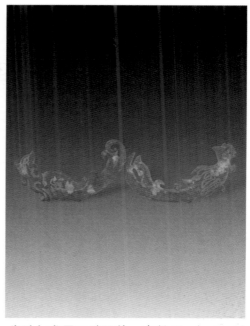

双面鱼化龙挂件　长 5.7cm 高 3.7cm
估价 5 万元

朱砂与龙凤玉璧两件　直径 11cm
估价 1800 元

九龙玉璧　直径 29cm　估价 45 万元-80 万元

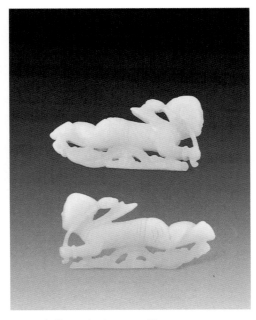

玉盘龙　长 18cm 高 13.2cm
估价 28 万元–35 万元　上面有小磕

飞天人物一对(白玉)　长 6.3cm
估价 3.4 万元

寿山石　玉壶冰(章)　4.5cm×3cm　估价 2.7 万元

和田枣红皮粉料原石　重 7500 克　估价 23 万元

玉石　长 12cm 宽 8.5cm　估价 4.5 万元

吴昌硕印章　高 10cm　估价 9200 元

翡翠手镯　直径 7.5cm　估价 8800 元

玉堤印章　高 10.5cm　估价 5 万元

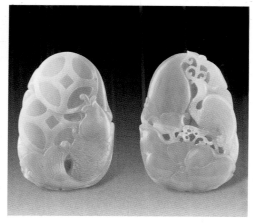

翡翠福禄寿　高 7cm　估价 2.5 万元

131

玉石百宝箱 径 17cm
估价 8 万元–15 万元

璧玉五子牛(满汉文) 尺寸不一 估价 75 万元–100 万元 其中一只有残"乾隆年制"款

玉胭脂盒 长 7.5cm 高 8.5cm 估价 4.4 万元

寿山石刘海戏金钱　高 21cm 宽 28cm　估价 17 万元

琥珀弥勒佛摆件　高 20.4cm　估价 7.1 万元

玉琮　高 17cm 宽 6.5cm　估价 50 万元–100 万元

和田玉香炉　18.5cm×20cm　估价 50 万元

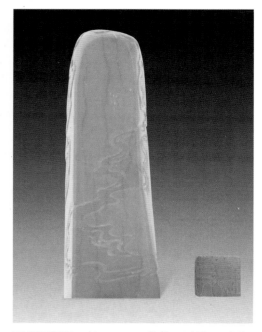

翡翠灵芝纹手镯一对　直径 3.4cm
估价 23 万元

田黄石印章　高 10.3cm　估价 4 万元–8 万元

玉龙纹刻铭鬲　高 23.5cm　估价 150 万元–300 万元

奇石"云龙图"　21cm×23cm×5cm
估价 17 万元　紫檀木座

奇石 "匡庐图"　13cm×23cm×5cm　估价
25 万元–50 万元　紫檀木座

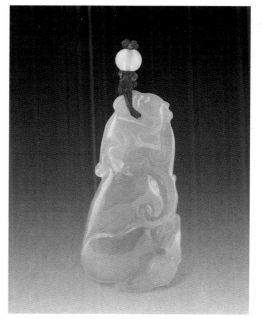

翡翠挂件　高 5cm　估价 2 万元

仙女与五彩鱼奇石
重 750.7 克　13.73cm×11.32cm×22.8cm
估价 5 万元–7 万元　已断裂两半

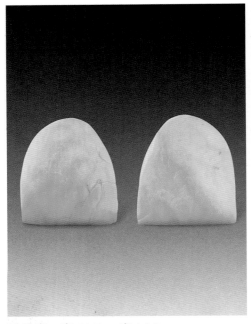

田黄帝 高 18.5cm 宽 16.5cm
估价 2500 万元–3000 万元

青玉达摩摆件 高 16.5cm 估价 2.7 万元

寿山石 兽钮章 5.2cm×2.2cm
估价 1.5 万元 徐三庚百刻印

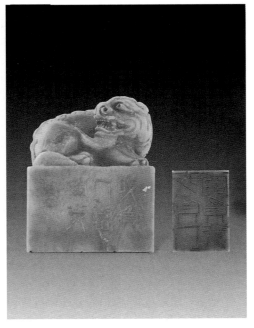

寿山石 狮钮章 高 4.8cm 估价 7 万
元–10 万元 我负人人当负我(齐白石)

白玉长寿摆件　高 18.5cm 宽 28.5cm　估价 25 万元–45 万元　"大清乾隆年制"款

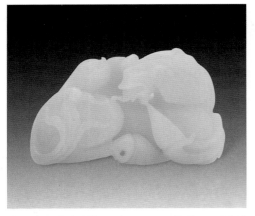

和田白玉马上封侯　宽5.5cm　估价1.7万元

寿山石摆件　高12cm 宽11cm
估价9万元–15万元

貔貅摆件　长8.5cm 高3.8cm
估价1.8万元

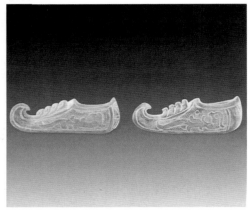

玉鞋一对　高5cm 长14cm　估价600元

白玉梅花壶　高7.5cm　估价1000元

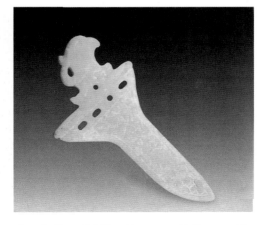

白玉乌首刀形雕件　长18cm　估价6200元

140

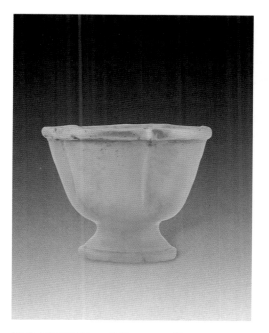

镶金口玛瑙杯　直径 7.4cm 高 5.9cm
估价 3.5 万元

双螭柄盖玉杯　12×15.5cm　估价 8.2 万元

和田玉籽料摆件　高 18cm　估价 37 万元

玉琮　直径 10.5cm 高 5cm　估价 10 万元

和田白玉观音　高 19cm　估价 5.6 万元

玉刀　长 30cm 宽 8.3cm　估价 9.7 万元

和田辈辈侯挂件　高 6cm　估价 1800 元

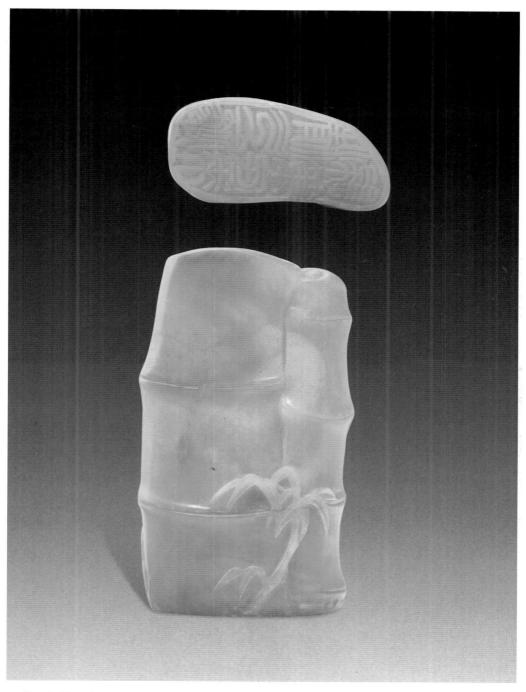

田黄石摆件 高 9cm 宽 4.7cm 厚 2cm 重 169 克　　估价 45 万元　"吴熙载"款

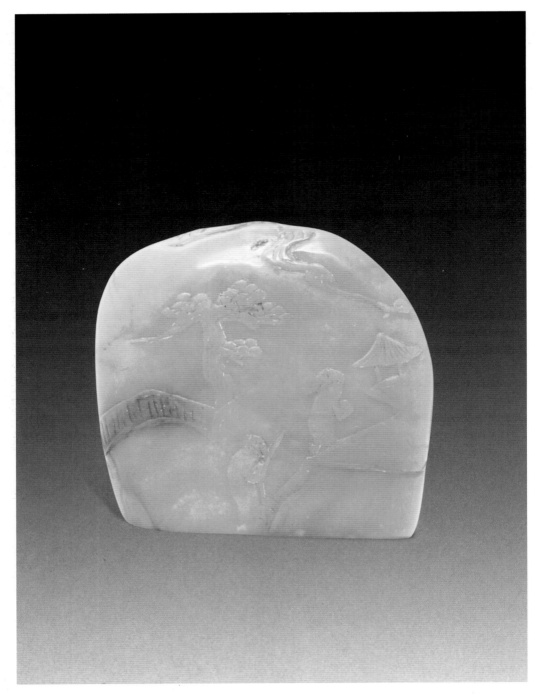

田黄石雕件　　重约 151.27 克　　估价 48 万元

寿山石摆件　高 12.5cm 宽 9.5cm
估价 5200 元

水晶观赏石 荷塘月色　21cm×13.5cm×27cm
估价 9000 元

田黄石浮雕摆件　高 3.8cm　估价 1.6 万元

玛瑙双耳瓶　高 26cm　估价 27 万元

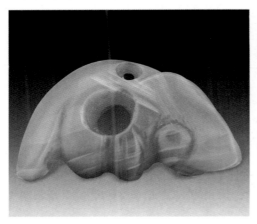

玛瑙挂件　长 5.5cm　估价 5500 元

璧玉马　高 17.8cm　估价 8.8 万元

昌化鸡血印石　高 16cm 宽 4.8cm
估价 75 万元–100 万元

青玉观音　高 39.3cm　估价 6.7 万元

田黄石狮钮章　高 4cm　估价 1.3 万元

水晶观赏石 千山竞秀　21cm×14cm×15.5cm
估价 8800 元

146

鸡血石章料　高 7.9cm 宽 2cm　估价 8 万元

寿山田黄单龙戏珠　不规则　高 3.3cm　估价
18 万元–30 万元　飞花入砚田(乾坤道人刻)

田黄印章两件　尺寸不一　共重 300 克
估价 8.2 万元

田黄印章　尺寸不一　共重 124 克
估价 8 万元–15 万元

鸡血石双印章　尺寸不一　估价 2.6 万元

和田籽玉料原石　重 18 公斤　估价 15 万元–30 万元

红山文化鹰　高 17cm 宽 15.5cm　估价 250 万元–300 万元

青玉匜　高 16cm 长 26.5cm　估价 230 万元

田黄原石　高 9.5cm 宽 5cm 重 342.5g　估价 17 万元

白芙蓉石雕观音像　高 19.5cm 宽 14.5cm 重 1.2 公斤　估价 35 万元

血丝玉貔貅摆件　估价 2 万元–5 万元

红斑奇石　41cm×27cm　估价 10 万元

田黄石山水风景摆件　高 12.5cm　估价 1100 万元–1800 万元

翡翠原石　重 38.6 公斤　估价 550 万元–800 万元

和田鎏金观音　高 36cm　估价 55 万元–70 万元

螭龙剑佩 高 12.5cm 估价 13 万元

白玉双喜挂件　高 6.7cm 宽 4.5cm　估价 7000 元

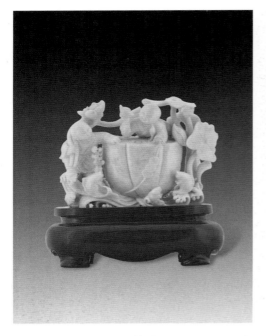

翡翠福禄金钱摆件　估价 5 万元–10 万元　　和田籽料墨水壶　估价 6 万元–10 万元

白玉莲蓬盖三足炉　高 21.5cm　估价 13 万元

和田白玉雕鸟状链壶　高 26　估价 5 万元–10 万元

玉魁子　高 4cm 宽 4.5cm　估价 3.6 万元

红山玉发簪 高 13.5cm 宽 7.5cm 估价 110 万元–250 万元